위험물기능장 필기

기초화학 개념정리

공학박사 현성호 지음

BM (주)도서출판 성안당

별책부록 차례

1. 물질의 특성
2. 동위원소와 동소체
3. 몰(mole)
4. 실험식과 분자식
5. 화학방정식으로부터 이론공기량 구하기
6. 기체
7. 원자
8. 이온화 에너지와 전자 친화력
9. 분자구조
10. 산과 염기
11. 염의 의의 및 종류
12. 기체의 용해도
13. 수화물
14. 용액의 농도
15. 산화수
16. 금속의 이온화 경향
17. 패러데이의 법칙
18. 할로젠원소
19. 방사성 작용
20. 작용기에 의한 유기화합물의 분류
21. 알코올류(R-OH)
22. Le Chatelier의 원리

화학 부분 중 기초적인 내용을 정리한 것으로, 시험 준비에 만전을 기하고 시험에 합격하는 데 밑거름이 될 것입니다.

Master Craftsman Hazardous material

부록

위험물기능장 필기

기초화학 개념정리

부록. 기초화학 개념정리
위험물기능장 필기

기초화학 개념정리

1 물질의 특성

(1) 물질의 상태와 성질

구분＼상태	고체	액체	기체
성질	규칙	인력	자유
모양	일정	용기에 따라 다르다.	일정하지 않다.
부피	일정	일정	일정하지 않다.
분자운동	일정 위치에서 진동운동	위치가 변하며, 느린 진동·회전·병진 운동	고속 진동·회전·병진 운동
분자 간 인력	강하다.	조금 강하다.	극히 약하다.
에너지 상태	최소(안정한 상태)	보통(보통 상태)	최대(무질서한 상태)

(2) 물의 상태변화 및 삼상태

① 물의 현열 : 100cal/g
② 얼음의 융해열(잠열) : 80cal/g
③ 물의 기화열(잠열) : 539cal/g
④ 물의 비열 : 1cal/g·℃
⑤ 얼음의 비열 : 0.5cal/g·℃
⑥ 수증기의 비열 : 0.47~0.5cal/g·℃

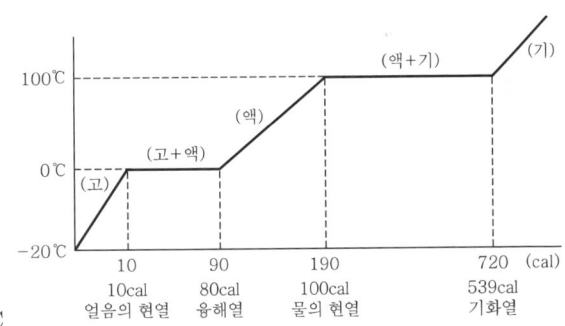

- 현열($Q = mC\Delta t$) : 물질의 상태는 그대로이고, 온도의 변화가 생길 때의 열량
- 잠열($Q = m\gamma$) : 온도는 변하지 않고, 물질의 상태변화에 사용되는 열량(숨은열)
- 비열($C = Q/m\Delta t$) : 물질 1g을 1℃ 올리는 데 필요한 열량

여기서, Q : 열량(cal), C : 비열(cal/℃), m : 질량(g)
Δt : 온도차(℃), γ : 잠열(cal/g)

(3) 측정

① 밀도 = $\dfrac{질량}{부피} = \dfrac{M}{V}$ (암기법) 사랑하는 사람이 나타나면 큐피드 화살을 쏜다.

② 온도 : $℃ = \dfrac{5}{9}(℉-32)$, $℉ = \dfrac{9}{5}℃+32$, $K = ℃+273.15$

③ 압력 : 1기압 = $76\text{cmHg} = 760\text{mmHg} = 14.7\text{psi} = 14.7\text{lbf/in}^2$
  $= 1.033227\text{kgf/cm}^2 = 101.325\text{kPa} = 29.92\text{inHg} = 10.332\text{mH}_2\text{O}$

2 동위원소와 동소체

(1) 동위원소

양성자수는 같으나 중성자수가 다른 원소, 즉 원자번호는 같으나 질량수가 다른 원소, 또한 동위원소는 양성자수가 같아서 화학적 성질은 같으나 물리적 성질이 다른 원소이다.

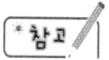 **동위원소의 평균 원자량 구하는 법**

$$X의\ 원자량 = \left(A의\ 원자량 \times \dfrac{A의\ 백분율}{100}\right) + \left(B의\ 원자량 \times \dfrac{B의\ 백분율}{100}\right)$$

따라서, 동위원소의 백분율 합은 100이 되어야 한다.

예) 염소 : $^{34.97}_{17}\text{Cl} = 75.5\%$, $^{36.97}_{17}\text{Cl} = 24.5\%$

$\text{Cl} = 34.97 \times \dfrac{75.5}{100} + 36.97 \times \dfrac{24.5}{100} ≒ 35.5$

(2) 동소체

같은 원소로 되어 있지만 원자의 배열이 다르거나, 같은 화학조성을 가지나 결합양식이 다른 물질이다.

구성원소	종류	연소생성물
산소(O)	산소(O_2), 오존(O_3)	-
탄소(C)	다이아몬드(금강석), 흑연, 숯	이산화탄소(CO_2)
인(P)	황린(P_4, 노란인), 적린(P, 붉은인)	오산화인(P_2O_5)
황(S)	사방황, 단사황, 고무상황	이산화황(SO_2)

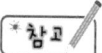 **동소체 확인방법**
연소생성물이 같은가를 확인하여 동소체임을 구별한다.

3 몰(mole)

물질의 양을 표현할 때 사용하는 단위로, 1몰이란 원자, 분자, 이온의 개수가 6.02×10^{23}개 (아보가드로수)일 때를 말한다.

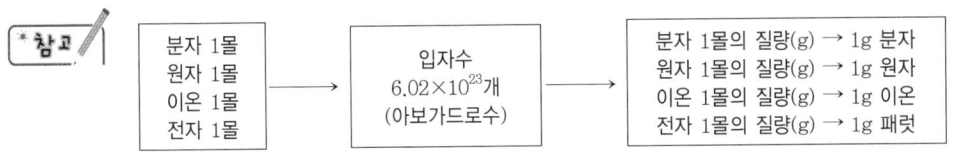

물질의 수를 세는 단위에는 여러 가지가 있다.
예를 들면, 마늘 1접은 마늘 100개, 연필 1다스는 연필 12자루라는 약속이다. 원자나 분자는 너무 작아 저울로 측정하기 어려워서 이와 같이 몰이라는 단위로 약속을 정한 것이다. 즉, 1몰(mol)은 6.02×10^{23}개의 집단인 것이다.

〈 원자에 따른 1몰 〉

원자	원자량	1g 원자(1몰)	부피	원자수	원자 1개의 실제 무게
C	12	12g	22.4L	6.02×10^{23}개	$12g/6.02 \times 10^{23}$개
N	14	14g	22.4L	6.02×10^{23}개	$14g/6.02 \times 10^{23}$개
O	16	16g	22.4L	6.02×10^{23}개	$16g/6.02 \times 10^{23}$개
Na	23	23g	22.4L	6.02×10^{23}개	$23g/6.02 \times 10^{23}$개

※ 원자 1몰의 질량은 그 수치가 원자량과 같다.

〈 분자에 따른 1몰 〉

분자	분자량	1g 분자(1몰)	부피	분자수	분자 1개의 실제 무게
O_2	32	32g	22.4L	6.02×10^{23}개	$32g/6.02 \times 10^{23}$개
H_2	2	2g	22.4L	6.02×10^{23}개	$2g/6.02 \times 10^{23}$개
NH_3	17	17g	22.4L	6.02×10^{23}개	$17g/6.02 \times 10^{23}$개
H_2O	18	18g	22.4L	6.02×10^{23}개	$18g/6.02 \times 10^{23}$개

※ 1몰의 질량=화학식량=그 화학식에 포함된 모든 원자의 원자량 총합

4 실험식과 분자식

(1) 실험식(조성식)

물질의 조성을 원소기호로서 간단하게 표시한 식이다.

물질	물	벤젠	과산화수소
실험식	H_2O	CH	HO
분자식	H_2O	C_6H_6	H_2O_2

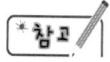 **실험식을 구하는 방법**

화학식 $A_mB_nC_p$라고 하면, $m : n : p = \dfrac{A의\ 질량(\%)}{A의\ 원자량} : \dfrac{B의\ 질량(\%)}{B의\ 원자량} : \dfrac{C의\ 질량(\%)}{C의\ 원자량}$

즉, 화합물 성분 원소의 질량 또는 백분율을 알면 그 실험식을 알 수 있으며, 실험식을 정수배하면 분자식이 된다.

(2) 분자식

한 개의 분자를 구성하는 원소의 종류와 그 수를 원소기호로 표시한 화학식을 분자식이라 한다.

조성식×n=분자식, 분자량=실험식량×n (단, n은 정수)

예 아세틸렌 : C_2H_2, 물 : H_2O, 이산화탄소 : CO_2, 황산 : H_2SO_4

(3) 시성식

분자식 속에 원자단(라디칼)의 결합상태를 나타낸 화학식을 시성식이라 하며, 유기화합물에서 많이 사용되고, 분자식은 같으나 전혀 다른 성질을 갖는 물질을 구분하는 데 사용한다.

예 아세트산 : CH_3COOH(카복실기 : 산성을 나타내는 작용기), 폼산메틸 : $HCOOCH_3$, 수산화암모늄 : NH_4OH

 원자단(라디칼, 기)

화학변화가 일어날 때 분해되지 않고 한 분자에서 다른 분자로 이동하는 원자의 모임

예 포밀기(-CHO), 카복실기(-COOH), 하이드록실기(-OH), 에터기(-O-), 에스터기(-COO-), 케톤기(-CO-) 등

(4) 구조식

화합물에서 원자를 결합선으로 표시하여 원자가와 같은 수의 결합선으로 분자 내의 원자들을 연결하여 결합상태를 표시한 식이다.

$$H-\underset{\underset{H}{|}}{\overset{\overset{H}{|}}{N}}-H$$

⟨NH_3(암모니아)의 구조식⟩

초산 화학식의 예

실험식	분자식	시성식	구조식
CH_2O	$C_2H_4O_2$	CH_3COOH	$H-\underset{\underset{H}{|}}{\overset{\overset{H}{|}}{C}}-C\begin{smallmatrix}\nearrow O\\ \searrow O-H\end{smallmatrix}$

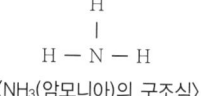

⟨H_2O(물)의 구조식⟩

$O=C=O$

⟨CO_2(이산화탄소)의 구조식⟩

5 화학방정식으로부터 이론공기량 구하기

연소란 열과 빛을 동반한 산화반응이라고 정의되는 것처럼 연소와 산화라는 단어는 화재화학 영역에서는 어느 정도 동의어적 의미로 사용되고 있다.

일반적으로 메테인의 연소상태를 설명할 때 공기 중의 산소와 결합하여 생성물로서 이산화탄소와 물이 생성되는 화학방정식은 다음과 같이 나타낼 수 있다.

$CH_4 + 2O_2 \rightarrow CO_2 + 2H_2O$

이 화학방정식에서 1몰의 메테인이 2몰의 산소와 반응하여 1몰의 이산화탄소와 2몰의 물이 생성된다는 것을 알 수 있다. 즉, 이론적으로 요구되는 산소량과 공기량을 구할 수 있는 것이다.

예를 들어, 16g의 메테인이 연소하는 데 필요한 이론적 공기량을 구하면 다음과 같다.

$$\frac{16g-CH_4}{} \left| \frac{1mol-CH_4}{16g-CH_4} \right| \frac{2mol-O_2}{1mol-CH_4} \left| \frac{100mol-Air}{21mol-O_2} \right| \frac{28.84g-Air}{1mol-Air} = 274.67g-Air$$

이와 유사한 방법으로 아보가드로의 법칙에 의해 각각 생성되는 CO_2 및 H_2O의 양도 g, L, 분자의 개수 등의 단위로 얼마든지 환산할 수 있다.

$$\frac{16g-CH_4}{} \left| \frac{1mol-CH_4}{16g-CH_4} \right| \frac{2mol-O_2}{1mol-CH_4} \left| \frac{22.4L-O_2}{1mol-O_2} \right. = 44.8L-O_2$$

$$\frac{16g-CH_4}{} \left| \frac{1mol-CH_4}{16g-CH_4} \right| \frac{2mol-O_2}{1mol-CH_4} \left| \frac{6.02 \times 10^{23}개의\ O_2}{1mol-O_2} \right. = 12.04 \times 10^{23}개의\ O_2$$

$$\frac{16g-CH_4}{} \left| \frac{1mol-CH_4}{16g-CH_4} \right| \frac{1mol-CO_2}{1mol-CH_4} \left| \frac{44g-CO_2}{1mol-CO_2} \right. = 44g-CO_2$$

$$\frac{16g-CH_4}{} \left| \frac{1mol-CH_4}{16g-CH_4} \right| \frac{1mol-CO_2}{1mol-CH_4} \left| \frac{22.4L-CO_2}{1mol-CO_2} \right. = 22.4L-CO_2$$

$$\frac{16g-CH_4}{} \left| \frac{1mol-CH_4}{16g-CH_4} \right| \frac{1mol-CO_2}{1mol-CH_4} \left| \frac{6.02 \times 10^{23}개의\ CO_2}{1mol-CO_2} \right. = 6.02 \times 10^{23}개의\ CO_2$$

$$\frac{16g-CH_4}{} \left| \frac{1mol-CH_4}{16g-CH_4} \right| \frac{2mol-H_2O}{1mol-CH_4} \left| \frac{18g-H_2O}{1mol-H_2O} \right. = 36g-H_2O$$

$$\frac{16g-CH_4}{} \left| \frac{1mol-CH_4}{16g-CH_4} \right| \frac{2mol-H_2O}{1mol-CH_4} \left| \frac{22.4L-H_2O}{1mol-H_2O} \right. = 44.8L-H_2O$$

$$\frac{16g-CH_4}{} \left| \frac{1mol-CH_4}{16g-CH_4} \right| \frac{2mol-H_2O}{1mol-CH_4} \left| \frac{6.02 \times 10^{23}개의\ H_2O}{1mol-H_2O} \right. = 12.04 \times 10^{23}개의\ H_2O$$

6 기체

(1) 보일(Boyle)의 법칙

등온의 조건에서 기체의 부피는 압력에 반비례한다.

$$V \propto \frac{1}{p}$$

$$\therefore P_1 V_1 = P_2 V_2$$

(2) 샤를(Charles)의 법칙

등압의 조건에서 기체의 부피는 절대온도에 비례한다.

$$V \propto T$$

$$\therefore \frac{V_1}{T_1} = \frac{V_2}{T_2} = k(일정)$$

(3) 보일(Boyle)−샤를(Charles)의 법칙

보일의 법칙과 샤를의 법칙으로 다음을 유도할 수 있다.

일정량의 기체가 차지하는 부피는 압력에 반비례하고 절대온도에 비례한다.

$$V \propto \frac{T}{P}$$

$$\therefore \frac{P_1 V_1}{T_1} = \frac{P_2 V_2}{T_2} = k(일정)$$

(4) 이상기체 법칙

부피는 몰(mole)수에 비례한다.

$$V \propto n$$

비례식은 상수 k를 대입함으로써 등식으로 변형시킬 수 있다.

$$V = kn$$

보일의 법칙, 샤를의 법칙, 아보가드로의 법칙으로부터 다음을 유도할 수 있다.

$$V \propto \frac{1}{P}, \quad V \propto T, \quad V \propto n$$

$$\therefore V \propto \frac{Tn}{P}$$

위의 관계에 비례상수를 R(기체상수)이라 하면 다음과 같다.

$$\boxed{V = \frac{nRT}{P} \text{ 또는 } PV = nRT}$$

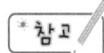 R(기체상수)

보일의 법칙+샤를의 법칙+아보가드로의 법칙

$$R = \frac{PV}{nT} \xrightarrow{\text{표준상태(S.T.P, 0℃, 1atm)에서 1mol은 22.4L임.}} \frac{1\text{atm} \cdot 22.4\text{L}}{1\text{mol} \times (0+273.15)\text{K}} = 0.082 \text{atm} \cdot \text{L/K} \cdot \text{mol}$$

n은 몰수이며 $n = \dfrac{w(\text{g})}{M(\text{분자량})}$ 이므로,

$$PV = \frac{wRT}{M}$$

$$\boxed{\therefore M = \frac{wRT}{PV}}$$

(5) 그레이엄(Graham)의 확산법칙

기체의 분출속도를 온도와 압력이 동일한 조건하에서 비교하면, 분출속도가 기체 밀도의 제곱근에 반비례한다는 결과가 나타난다. 이 관계를 그레이엄의 법칙이라고 하며, 다음과 같은 식으로 나타낼 수 있다.

$$\text{분출속도} \propto \sqrt{\frac{1}{d}}$$

$$\boxed{\therefore \frac{\text{A의 분출속도}}{\text{B의 분출속도}} = \sqrt{\frac{d_B}{d_A}} = \sqrt{\frac{M_B}{M_A}}}$$

7 원자

(1) 원자번호와 질량수

① 원자번호

중성원자가 가지는 양성자수

$$원자번호 = 양성자수 = 전자수$$

② 질량수

원자핵의 무게인 양성자와 중성자의 무게를 각각 1로 했을 경우 상대적인 질량값

$$질량수 = 양성자수 + 중성자수$$

※ 모든 원자들의 양성자수는 같은 것이 하나도 없으므로 양성자의 수대로 원자번호를 부여한다.
　또한 원자가 전기적으로 중성이므로 양성자수와 전자수는 동일하다.

(2) 전자배치

원자핵의 둘레에는 양자수와 같은 수의 전자가 원자핵을 중심으로 몇 개의 층을 이루어 배치되어 있다. 이 전자층을 전자각이라 한다.

① 전자껍질

원자핵을 중심으로 에너지준위가 다른 몇 개의 전자층을 이루는데 이 전자층을 전자껍질이라 하며, 주전자껍질(K, L, M, N, …… 껍질)과 부전자껍질(s, p, d, f 껍질)로 나누어진다.

전자껍질	K($n=1$)	L($n=2$)	M($n=3$)	N($n=4$)
최대전자수($2n^2$)	2	8	18	32
부전자껍질	$1s^2$	$2s^2$, $2p^6$	$3s^2$, $3p^6$, $3d^{10}$	$4s^2$, $4p^6$, $4d^{10}$, $4f^{14}$

㉮ 부전자껍질(s, p, d, f)에 수용할 수 있는 전자수
　　s : 2개, p : 6개, d : 10개, f : 14개

㉯ 주기율표에서 족의 수=전자껍질의 수

② 최외각전자(원자가전자 또는 가전자)

㉮ 전자껍질에 전자가 채워졌을 때 제일 바깥 전자껍질에 들어 있는 전자를 최외각전자라고 하며, 그 원자의 화학적 성질을 결정한다.

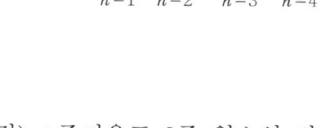

㉯ 8개일 때는 안정하다(K껍질만은 전자 2개만 채워도 안정). : 주기율표 0족 원소의 전자배열

㉰ n번에 들어갈 수 있는 전자의 최대수는 $2n^2$이다.

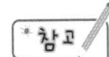 **팔우설**(octet theory)
모든 원자들은 주기율표 0족에 있는 비활성 기체(Ne, Ar, Kr, Xe 등)와 같이 최외각전자 8개를 가져서 안정하려는 경향(단, He은 2개의 가전자를 가지고 있으며, 안정하다.)

(3) 궤도함수(오비탈)

현대에는 원자의 전자배치 상태를 원자핵 주위의 어느 위치에서 전자가 발견될 수 있는 확률의 분포상태로 나타낸다.

오비탈의 이름	s - 오비탈	p - 오비탈	d - 오비탈	f - 오비탈
전자수	2	6	10	14
오비탈의 표시법	s^2 ↑↓	p^6 ↑↓ ↑↓ ↑↓	d^{10} ↑↓ ↑↓ ↑↓ ↑↓ ↑↓	f^{14} ↑↓ ↑↓ ↑↓ ↑↓ ↑↓ ↑↓ ↑↓

① 오비탈의 에너지준위

한 전자껍질에서 각 오비탈의 에너지준위 크기는 $s < p < d < f$의 순으로 커진다. 즉, $1s < 2s < 2p < 3s < 3p < 4s < 3d < 4p < 5s$ … 순으로 전자가 채워진다.

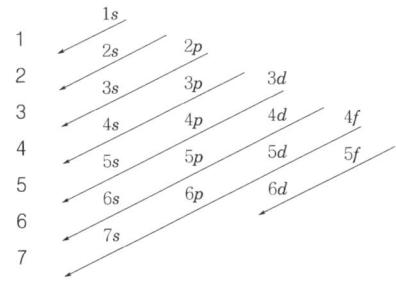

〈 축조원리에 의한 부껍질 내 전자배치 방식 〉

② 전자배치의 원리

㉮ 쌓음의 원리 : 전자는 낮은 에너지준위의 오비탈부터 차례로 채워진다.

㉯ 파울리의 배타원리 : 한 오비탈에는 전자가 2개까지만 배치될 수 있다.

㉰ 훈트의 규칙 : 같은 에너지준위의 오비탈에는 먼저 전자가 각 오비탈에 1개씩 채워진 후, 두 번째 전자가 채워진다. 홀전자 수가 많을수록 전자의 상호 반발력이 약화되어 안정된다.

〈 p 오비탈에 전자가 채워지는 순서 〉

① ④	② ⑤	③ ⑥

※ 훈트의 규칙에 따라 먼저 각 오비탈에 1개씩 채워져야 한다.

8 이온화 에너지와 전자 친화력

(1) 이온화 에너지

원자가 전자를 잃으면 양이온, 전자를 얻으면 음이온이 된다. 즉, 원자의 외부로부터 에너지를 가하면 전자는 에너지준위가 높은 전자껍질에 있는 전자가 바깥으로 달아나 양이온이 된다. 원자로부터 최외각의 전자 1개를 떼어 양이온으로 만드는 데 필요한 최소의 에너지를 제1이온화 에너지라 하며 원자 1몰 단위로 표시한다. 또한 전자 1개를 잃은 이온으로부터 제2의 전자를 떼어 내는 데 필요한 에너지를 제2이온화 에너지라 한다. 이하 제3, 제4, …… 이온화 에너지도 같은 방법으로 정의한다.

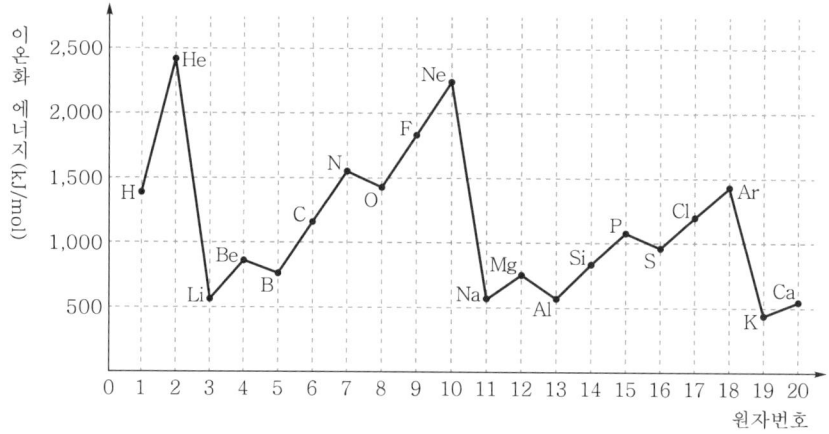

(2) 전자 친화력

비활성 기체는 전자배열이 안정한 상태이다. 그러므로 비활성 기체보다 전자수가 몇 개 적은 원소는 전자를 얻어 비활성 기체와 같은 전자배열을 취하려고 한다.

원자번호가 17인 염소 원자 Cl은 전자 1개를 얻어 비활성 기체인 $_{18}Ar$과 같은 전자배열을 취한다. 이때 에너지가 발생하는데, 이 에너지를 전자 친화력이라 한다.

$$Cl(g) + e^- \rightarrow Cl^-(g)$$

(3) 원자 반지름과 이온 반지름

① 같은 주기에서는 Ⅰ족에서 Ⅶ족으로 갈수록 원자 반지름이 작아져서 강하게 전자를 잡아당겨 비금속성이 증가하며, 같은 족에서는 원자번호가 커짐에 따라서 원자 반지름이 커져서 전자를 잃기 쉬워 금속성이 증가한다.

② 이온 반지름도 원자 반지름과 같은 경향을 가지나 양이온은 그 원자로부터 전자를 잃게 되므로 원자보다는 작고 음이온은 전자를 얻으므로 전자는 서로 반발하여 원자가 커진다.

9 분자구조

(1) 결합거리

공유결합을 이루고 있는 원자의 핵과 핵 사이의 거리를 결합거리라 하며, 또한 이 결합거리는 동일한 원자 사이의 결합일 때와 결합의 형식이 같을 때에는 분자나 결정의 종류와는 관계없이 거의 일정하다.

예) 다이아몬드(C)의 C-C 사이의 결합거리는 1.542Å
에테인(CH_3-CH_3)의 C-C 사이의 결합거리는 1.536Å
뷰테인($CH_3-CH_2-CH_2-CH_3$)의 C-C 사이의 결합거리는 1.539Å
} 로 거의 같다.

〈 중요한 원자 간의 결합거리 〉

결합	결합거리(Å)	결합	결합거리(Å)	결합	결합거리(Å)
C-C	1.54	C-O	1.43	Cl-Cl	1.99
C=C	1.34	C-Cl	1.77	H-Cl	1.27
C≡C	1.20	O-H	0.96	O-O	1.32
C-H	1.09	N-H	1.01	Si-Si	2.34

※ 공유결합 반지름은 같은 족에서는 원자번호가 큰 원자일수록 크고, 같은 원자에서는 결합이 겹칠수록 작아진다.

(2) 결합각

① H_2O의 분자구조(V자형 : p^2형)

산소 원자를 궤도함수로 나타내면 그림과 같이 3개의 p궤도 중 쌍을 이루지 않은 전자는 p_y, p_z축에 각각 1개씩 있으므로 부대전자가 2개가 되어 2개의 수소 원자와 p_y, p_z축에서 각각 공유되며 그 각도는 90°이어야 하나 수소 원자 간의 척력이 생겨 104.5°의 각도를 유지한다. 이것을 V자형 또는 굽은자형이라 한다.

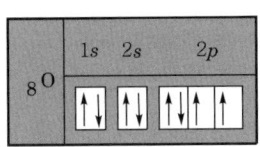 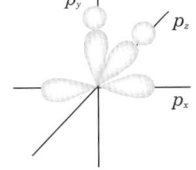 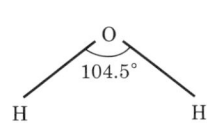 

② NH₃의 분자 구조(피라미드형 : p^3형)

질소 원자는 그 궤도함수가 $1s^2 2s^2 2p^3$로서 $2p$궤도 3개에 쌍을 이루지 않은 전자(부대전자)가 3개여서 3개의 H 원자의 $1s^1$과 공유결합을 하여 Ne형의 전자배열을 만든다. 이때 3개의 H는 N 원자를 중심으로 그 각도는 이론상 90°이나 실제는 107°를 유지하여 그 모형이 피라미드형을 형성한다.

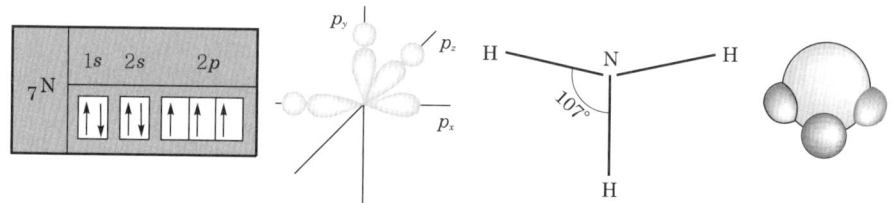

③ CH₄의 분자구조(정사면체형 : sp^3형)

정상상태의 C는 $1s^2 2s^2 2p^2$의 궤도함수로 되어 있으나 이 탄소가 수소와 화학결합을 할 때는 약간의 에너지를 얻어 $2s$궤도의 전자 중 1개가 $2p$로 이동하여 여기상태가 되며 쌍을 이루지 않은 부대전자는 1개의 $2s$와 3개의 $2p$로 모두 4개가 되어 4개의 H 원자와 공유결합을 하게 되어 정사면체의 입체적 구조를 형성한다. 이와 같이 s와 p가 섞인 궤도를 혼성궤도(hybridization)라 한다.

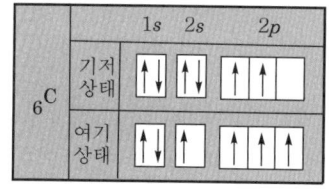 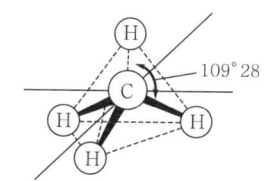 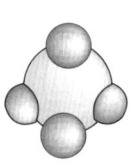

④ HF의 분자구조(선형 : p형)

플루오린 원자를 궤도함수로 나타내면 그림과 같이 3개의 p궤도 중 쌍을 이루지 않은 전자(부대전자)는 p_x축에 1개 있으므로 수소 원자로부터 $1s^1$을 공유하여 완전한 결합공유 전자쌍을 이룬다. 이때 F 원자는 Ne와 같은 전자배열을 형성하며, H 원자는 He와 같은 전자배열을 형성하여 안정한 상태가 된다. 따라서 플루오린과 수소 원자는 서로 직선으로 결합된다.

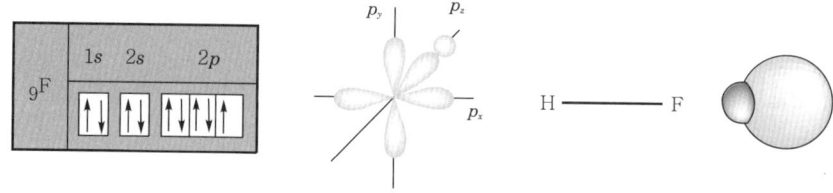

10 산과 염기

(1) 산·염기에 대한 여러 가지 개념

학설	산	염기
아레니우스설	수용액에서 H^+(또는 H_3O^+)을 내는 것	수용액에서 OH^-을 내는 것
브뢴스테드설	H^+을 줄 수 있는 것	H^+을 받을 수 있는 것
루이스설	비공유 전자쌍을 받는 것	비공유 전자쌍을 가진 것(제공하는 것)

(2) 산화물

물에 녹으면 산·염기가 될 수 있는 산소와의 결합물을 산화물이라 한다.

① **산성 산화물(무수산)**

물과 반응하여 산이 되거나 또는 염기와 반응하여 염과 물을 만드는 비금속 산화물을 산성 산화물이라 한다.

예) $CO_2 + H_2O \rightarrow \underset{\text{탄산}}{H_2CO_3} \rightleftarrows 2H^+ + CO_3^{2-}$

② **염기성 산화물(무수염기)**

물과 반응하여 염기가 되거나 또는 산과 반응하여 염과 물을 만드는 산화물을 염기성 산화물이라 한다.

예) $CaO + H_2O \rightarrow Ca(OH)_2 \rightleftarrows Ca^{2+} + 2OH^-$

산성 산화물은 비금속의 산화물이고, 염기성 산화물은 금속의 산화물이다.
CO_2, SO_3, N_2O_5는 물에 녹아 H_2CO_3, H_2SO_3, HNO_3가 되어 산이 된다. 또한 Na_2O, CaO는 물에 녹아 $NaOH$, $Ca(OH)_2$가 된다.

③ **양쪽성 산화물**

산에도 녹고 염기에도 녹아서 수소가 발생하는 원소(Al, Zn, Sn, Pb 등)를 양쪽성 원소라 하며, 이들의 산화물(Al_2O_3, ZnO, SnO 등)을 양쪽성 산화물이라 한다. 이들은 산·염기와 작용하여 물과 염을 만든다.

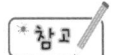
양쪽성 산화물 ⇨ 산·염기와 반응
양쪽성 원소 Al, Zn, Sn, Pb의 산화물은 산과 염기와 반응하여 염이 된다.
　　　　　알 아 주 납 ? (양쪽성)

11 염의 의의 및 종류

염이란 산의 음이온과 염기의 양이온이 만나서 이루어진 이온성 물질이다.

(1) 산성염

산의 H^+(수소 원자) 일부가 금속으로 치환된 염

예) $H_2SO_4 + NaOH \rightarrow NaHSO_4 + H_2O$
　　　　　　　　　　황산수소나트륨

(2) 염기성염

염기 중의 OH^- 일부가 산기(할로젠)로 치환된 염

예) $Mg(OH)_2 + HCl \rightarrow Mg(OH)Cl + H_2O$
　　　　　　　　　　하이드록실염화마그네슘

(3) 정염

산 중의 수소 원자(H) 전부가 금속으로 치환된 염

예) $NaOH + HCl \rightarrow NaCl + H_2O$

(4) 복염

두 가지 염이 결합하여 만들어진 새로운 염으로서 이들 염이 물에 녹아서 성분염이 내는 이온과 동일한 이온을 낼 때의 염

예) $K_2SO_4 + Al_2(SO_4)_3 + 24H_2O \rightarrow 2KAl(SO_4)_2 \cdot 12H_2O$
　　　　　　　　　　　　　　　　　　　칼륨알루미늄백반

이때, 성분염이 물에 녹아서 내는 이온 $K_2SO_4 \rightarrow 2K^+ + SO_4^{2-}$
　　　　　　　　　　　　　　　　　　　$Al_2(SO_4)_3 \rightarrow 2Al^{3+} + 3SO_4^{2-}$
　　생성염이 물에 녹아서 내는 이온 $2KAl(SO_4)_2 \rightarrow 2K^+ + 2Al^{3+} + 4SO_4^{2-}$
즉, 성분염과 생성염은 물에 녹아서 동일한 이온을 내므로 $KAl(SO_4)_2$는 복염이다.

(5) 착염

성분염과 다른 이온을 낼 때의 염

예) $FeSO_4 + 2KCN \rightarrow Fe(CN)_2 + K_2SO_4$
　　$Fe(CN)_2 + 4KCN \rightarrow K_4Fe(CN)_6$
　　　　　　　　　　　사이안화철(Ⅱ)산칼륨
　이때 성분염이 물에 녹아서 내는 이온 $Fe(CN)_2 \rightarrow Fe^{2+} + 2CN^-$
　　　　　　　　　　　　　　　　　　　$4KCN \rightarrow 4K^+ + 4CN^-$
　생성염이 물에 녹아서 내는 이온 $K_4Fe(CN)_6 \rightarrow 4K^+ + Fe(CN)_6^{4-}$
　　　　　　　　　　　　사이안화철(Ⅱ)산철　　사이안화철(Ⅱ)산이온
즉, 성분염과 생성염이 물에 녹아서 동일한 이온을 내지 않으므로 $K_4Fe(CN)_6$은 착염이다.

12 기체의 용해도

(1) 온도의 영향
기체가 용해되는 과정은 발열반응이므로 온도가 높을수록 기체의 용해도는 감소한다.

(2) 압력의 영향(헨리의 법칙)
① 용액에서 기체의 용해도는 그 기체의 압력에 비례한다.
② 기체의 용해도는 여러 종류의 기체가 혼합되어 있을 경우 그 기체의 부분 압력과 몰분율에 비례한다.
③ 일정한 온도에서 용매에 녹는 기체의 질량은 압력에 비례하나, 압력이 증가하면 밀도가 커지므로 녹는 기체의 부피는 일정하다.

$$\text{녹는 기체의 질량 } w = kP$$
$$(T\text{는 일정})$$

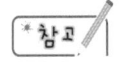 헨리의 법칙은 용해도가 작은 기체이거나 무극성 분자일 때 잘 적용된다. 차가운 탄산음료수의 병마개를 뽑으면 거품이 솟아오르는데, 이는 탄산음료수에 탄산가스가 압축되어 있다가 병마개를 뽑으면 압축된 탄산가스가 분출되어 용기의 내부압력이 내려가면서 용해도가 줄어들기 때문이다.
예) H_2, O_2, N_2, CO_2 등 무극성 분자

(3) 재결정
재결정이란 온도에 따른 용해도 차가 큰 물질에 불순물이 섞여 있을 때 고온에서 물질을 용해시킨 후 냉각시켜 용해도 차이로 결정을 석출시키는 방법이다.

13 수화물

결정수를 가진 결정을 가열하여 결정수를 일부 또는 전부 제거하면, 일반적으로 결정이 파괴되어 다른 결정형으로 되거나 분말(가루)로 된다.

예) $\underset{\text{청색}}{CuSO_4 \cdot 5H_2O(s)} \underset{\text{수분 흡수}}{\overset{\text{가열}}{\rightleftharpoons}} \underset{\text{백색 분말}}{CuSO_4(s)} + 5H_2O(g)$

이 반응은 가역 반응이며, 색깔의 변화를 이용하여 수분의 검출에 이용된다.

(1) 풍해(風解)

결정수를 가진 결정, 즉 수화물이 스스로 공기 중에서 결정수의 일부나 전부를 잃어 분말로 되는 현상을 풍해라 한다.

예) $\underset{\text{결정}}{Na_2CO_3 \cdot 10H_2O(s)} \xrightarrow[\text{(풍해)}]{\text{실온}} Na_2CO_3 \cdot 9H_2O(s) + H_2O(g)$

$\underset{\text{청색}}{CuSO_4 \cdot 5H_2O(s)} \xrightarrow{100\text{℃}} \underset{\text{연한 청색}}{CuSO_4 \cdot H_2O(s)} \xrightarrow{200\text{℃ 이상}} \underset{\text{백색 분말}}{CuSO_4(s)}$

(2) 조해(潮解)

고체 결정이 공기 중의 수분을 흡수하여 스스로 용해하는 현상을 조해라 한다. 일반적으로 조해성을 가진 물질은 물에 대한 용해도가 크다.

※ 제1류 위험물(산화성 고체)은 조해성 물질이다.

예) NaOH(s), $\underset{\text{건조제로 이용}}{\underline{KOH, CaCl_2, P_2O_5}}$, $MgCl_2$

14 용액의 농도

(1) 몰분율(X_A)

혼합물 속에 한 성분의 몰수를 모든 성분의 몰수로 나눈 값으로, 몰분율의 합은 1이다.

$$X_A = \frac{n_A}{n_A + n_B + \cdots}, \quad X_A + X_B + X_C + \cdots = 1$$

(2) 퍼센트농도(%)

용액에 대한 용질의 질량백분율이다.

$$\text{퍼센트농도}(\%) = \frac{\text{용질의 질량(g)}}{\text{용액의 질량(g)}} \times 100 = \frac{\text{용질의 질량(g)}}{(\text{용매}+\text{용질})\text{의 질량(g)}} \times 100$$

(3) 몰농도(M)

용액 1L(1,000mL)에 포함된 용질의 몰수이다.

$$\text{몰농도}(M) = \frac{\text{용질의 몰수}}{\text{용액의 부피(L)}} = \frac{\frac{g}{M}}{\frac{V}{1,000}}$$

여기서, g : 용질의 g수, M : 분자량, V : 용액의 부피(mL)

(4) 몰랄농도(m)

용매 1,000g에 녹아 있는 용질의 몰수(m)인 몰랄농도는 질량(kg)을 사용하기 때문에 온도가 변하는 조건에서 이 몰랄농도를 사용한다.

$$\text{몰랄농도}(m) = \frac{\text{용질의 몰수}}{\text{용매의 질량(kg)}}$$

(5) 노르말농도(N)

용액 1L(1,000mL) 속에 녹아 있는 용질의 g당량수를 나타낸 농도이다.

$$\text{노르말농도}(N) = \frac{\text{용질의 당량수}}{\text{용액 1L}}$$

$$\therefore \frac{\frac{g}{D}}{\frac{V}{1,000}} \quad \left(D = \frac{M \cdot W}{\text{H}^+\text{이온 or OH}^-\text{이온의 개수}} \right)$$

여기서, D : 1g당량

> **참고**
> **당량** : 전자 1개와 반응하는 양을 당량이라고 표현하는데, 정확히 수소 1g 또는 산소 8g과 반응할 수 있는 그 물질의 양을 1g당량이라 정의한다.
>
> [예]
> - NaOH의 1g당량 = $\dfrac{40g}{1}$ = 40g
> - Ca(OH)$_2$의 1g당량 = $\dfrac{74g}{2}$ = 37g
> - HCl의 1g당량 = $\dfrac{36.5g}{1}$ = 36.5g
> - H$_2$SO$_4$의 1g당량 = $\dfrac{98g}{2}$ = 49g

(6) 농도의 환산

① 중량%를 몰농도로 환산하는 법

중량%를 몰농도로 환산할 때는 다음과 같이 용액 1L에 대하여 계산한다.

중량백분율 $a(\%)$ 용액의 몰농도 x를 구하여 보자.

이 용액의 비중을 S라고 하면, 용질의 질량 w(g)는 다음과 같다.

$$w = 1,000 \times S \times \dfrac{a}{100} \text{(g)}$$

용질 w(g)의 몰수는 용질의 분자량(식량) M으로부터 $\dfrac{w}{M}$이므로,

$$\text{몰농도 } x = 1,000 \times S \times \dfrac{a}{100} \times \dfrac{1}{M}$$

② 몰농도를 중량%로 환산하는 법

몰농도를 중량%로 환산할 때도 용액 1L의 질량과 이 속에 녹아 있는 용질의 질량을 구하여야 한다.

n몰 농도 용액의 중량백분율 $x(\%)$를 구하여 보자.

이 용액의 비중을 S, 용질의 분자량을 M이라 하면, 용액 1L의 질량 w(g)는 다음과 같다.

$$w = 1,000 \times S \text{(g)}$$

용액 1L 속의 용질의 질량 m(g)은

$$m = nM \text{(g)}$$

중량백분율 $x(\%)$는 용액의 질량 100g에 대한 g수이므로,

$$1,000 \times S : nM = 100 : x$$

$$\therefore \; x = \dfrac{nM}{1,000S} \times 100 (\%)$$

(7) 혼합용액의 농도

$$MV \pm M'V' = M''(V+V')$$

※ 액성이 같으면 +, 액성이 다르면 −

$$NV \pm N'V' = N''(V+V')$$

(8) 끓는점 오름과 어는점 내림

용액의 증기압력이 낮아지므로 용액의 끓는점은 순수 용매의 끓는점보다 높아지고, 용액의 어는점은 순수한 용매의 어는점보다 낮아진다.
이는 몰랄 농도에 비례하여 변한다.

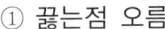

여기서,
ΔT_f : 어는점 내림
ΔT_b : 끓는점 오름
ΔP : 증기압 내림

① 끓는점 오름
  ㉮ 용액의 끓는점은 용매의 끓는점보다 높다.
  ㉯ 끓는점 오름(ΔT_b)은 용액의 몰랄농도(m)에 비례한다.

   $\Delta T_b = k_b m$ (k_b : 몰랄 오름 상수)

② 어는점 내림
  ㉮ 용액의 어는점은 용매의 어는점보다 낮다.
  ㉯ 어는점 내림(ΔT_f)은 용액의 몰랄농도(m)에 비례한다.

   $\Delta T_f = k_f m$ (k_f : 몰랄 내림 상수)

③ 전해질 용액의 끓는점 오름과 어는점 내림
   1분자가 2개의 이온으로 전리하는 전해질 용액의 전리도를 α라 하면, 전해질 1mol은 비전해질의 $(1+\alpha)$mol에 해당한다. 따라서, 전해질 용액은 같은 몰수의 비전해질 용액보다 $(1+\alpha)$배 끓는점이 높고 어는점이 낮다.

④ 삼투압
   용액 중 작은 분자의 용매는 통과시키나 분자가 큰 용질은 통과시키지 않는 막을 반투막이라 한다.
   예) 동식물의 원형질막, 방광막, 콜로디온막, 셀로판 황산지 등은 불완전 반투막이다.
   반투막을 경계로 하여 동일 용매에 농도가 다른 용액을 접촉시키면 양쪽의 농도가 같게 되려고 묽은 쪽 용매가 반투막을 통하여 진한 용액쪽으로 침투한다. 이런 현상을 삼투라 하며, 이때 작용하는 압력을 삼투압이라 한다.

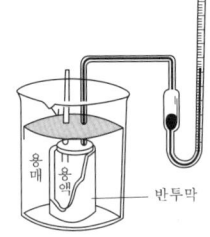

〈 삼투압의 측정 〉

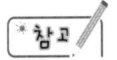 비전해질의 묽은 수용액의 삼투압은 용액의 농도(몰농도)와 절대온도(T)에 비례하며, 용매나 용질의 종류와는 관계없다.

⑤ 반트호프 법칙 : 일정한 부피 속에 여러 가지 비전해질 1몰씩을 녹인 용액의 삼투압은 모두 같다. 이것을 반트호프의 법칙이라 한다.

$$\pi V = \frac{w}{M} RT$$

V(L)의 묽은 용액 속에 어떤 물질 n몰이 녹아 있을 때 농도는 $\frac{n}{V}$(몰/L)이 될 것이며, 이때 절대온도가 T라고 하면 이 용액의 삼투압 π는 다음과 같은 관계식이 성립된다.

$$\pi \propto \frac{n}{V} T$$

$$\therefore \pi = k\frac{n}{V} T, \pi V = knT(k\text{는 상수})$$

실험에 의하면 k는 기체상수 R과 같다. 따라서 위의 식은 기체의 상태방정식과 같은 관계식 $\pi V = nRT$로 표시할 수 있다. 또 V(L) 속에 분자량이 M인 물질 w(g)가 포함되어 있다면 $n = \frac{w}{M}$이므로,

$$\pi V = \frac{w}{M} RT$$

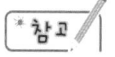 삼투압은 $\pi V = nRT$의 단위에 주의하여야 한다.
π는 삼투압, V는 L, n은 몰수, T는 절대온도, $R = 0.0821$(기압·L/몰·K)이다.

15 산화수

(1) 산화수(oxidation number)
물질을 구성하는 원소의 산화상태를 나타낸 수(물질의 산화된 정도를 나타내는 수)

(2) 산화수를 정하는 규칙
① 자유상태에 있는 원자, 분자의 산화수는 0이다.
  예 H_2, Cl_2, O_2, N_2 등
② 단원자 이온의 산화수는 이온의 전하와 같다.
  예 Cu^{2+} : 산화수 +2, Cl^- : 산화수 -1
③ 화합물 안의 모든 원자의 산화수 합은 0이다.
  예 H_2SO_4 : $(+1 \times 2) + (+6) + (-2 \times 4) = 0$
④ 다원자 이온에서 산화수 합은 그 이온의 전하와 같다.
  예 MnO_4^- : $(+7) + (-2 \times 4) = -1$

기초화학 개념정리

⑤ 알칼리금속, 알칼리토금속, III$_A$족 금속의 산화수는 +1, +2, +3이다.
⑥ 플루오린 화합물에서 플루오린의 산화수는 −1, 다른 할로젠은 −1이 아닌 경우도 있다.
⑦ 수소의 산화수는 금속과 결합하지 않으면 +1, 금속의 수소화물에서는 −1이다.

예 · HCl, NH$_3$, H$_2$O
　· NaH, MgH$_2$, CaH$_2$, BeH$_2$

⑧ 산소의 산화수 = −2, 과산화물 = −1, 초과산화물 = $-\frac{1}{2}$, 불산화물 = +2

예 Na$_2$O, Na$_2$O$_2$, NaO$_2$, OF$_2$

⑨ 주족원소 대부분은 [I$_A$족 +1], [II$_A$족 +2], [III$_A$족 +3], [IV$_A$족 ±4], [V$_A$족 −3, +5], [VI$_A$족 −2, +6], [VII$_A$족 −1, +7]

예
· H$\underline{O}_2$	$(+1)+2x=0$	∴ $x=-\frac{1}{2}$
· $\underline{N}$O	$x+(-2)=0$	∴ $x=+2$
· $\underline{Cr}^{3+}$	$x=+3$	∴ $x=+3$
· $\underline{Mn}$O$_2$	$x+(-2)\times 2=0$	∴ $x=+4$
· $\underline{Pb}$(OH)$_3^-$	$x+(-1)\times 3=-1$	∴ $x=+2$
· $\underline{Fe}$(OH)$_3$	$x+(-1)\times 3=0$	∴ $x=+3$
· $\underline{Cl}$O$^-$	$x+(-2)=-1$	∴ $x=+1$
· K$_4$$\underline{Fe}(CN)_6$	$4+x+(-1)\times 6=0$	∴ $x=+2$
· $\underline{Cl}$O$_2$	$x+(-2)\times 2=0$	∴ $x=+4$
· $\underline{Cl}$O$_2^-$	$x+(-2)\times 2=-1$	∴ $x=+3$
· $\underline{Mn}$(CN)$_6^{4-}$	$x+(-1)\times 6=-4$	∴ $x=+2$
· $\underline{N}_2$	$x=0$	
· $\underline{N}$H$_4^+$	$x+(+1)\times 4=+1$	∴ $x=-3$
· $\underline{N}_2$H$_5^+$	$2x+(+1)\times 5=+1, 2x=-4$	∴ $x=-2$
· H$\underline{As}$O$_3^{2-}$	$(+1)+x+(-2)\times 3=-2$	∴ $x=+3$
· ($\underline{C}$H$_3$)$_4$Li$_4$	$4x+(+1)\times 3\times 4+(+1)\times 4=0, 4x=-16$	∴ $x=-4$
· $\underline{P}_4$O$_{10}$	$4x+(-2)\times 10=0$	∴ $x=+5$
· $\underline{C}_2$H$_6$O(에탄올 CH$_3$CH$_2$OH)	$2x+(+1)\times 6+(-2)=0$	∴ $x=-2$
· $\underline{V}$O(SO$_4$)	$x+(-2)+(-2)=0$	∴ $x=+4$
· $\underline{Fe}_3$O$_4$	$3x+(-2)\times 4=0$	∴ $x=+\frac{8}{3}$
· $\underline{C}_3$H$_3^+$	$3x+(+1)\times 3=+1$	∴ $x=-\frac{2}{3}$

16 금속의 이온화 경향

금속 원소는 여러 가지 비금속 원소나 원자단과 화합물을 만든다. 화합물 중의 금속 원자는 전자를 잃어버리고 양이온으로 되어 존재한다. 이처럼 금속 원자는 한 개 또는 수 개의 최외각전자를 잃어 양이온이 되려는 성질이 있다. 이를 이온화 경향이라 한다.

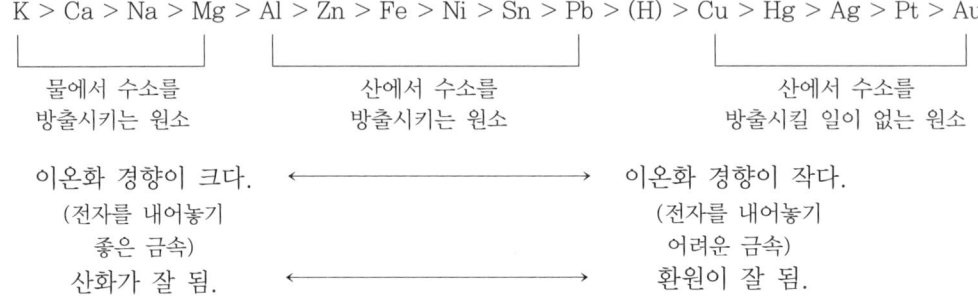

K > Ca > Na > Mg > Al > Zn > Fe > Ni > Sn > Pb > (H) > Cu > Hg > Ag > Pt > Au

- 물에서 수소를 방출시키는 원소
- 산에서 수소를 방출시키는 원소
- 산에서 수소를 방출시킬 일이 없는 원소

이온화 경향이 크다. ←——————→ 이온화 경향이 작다.
(전자를 내어놓기 좋은 금속) / (전자를 내어놓기 어려운 금속)
산화가 잘 됨. ←——————→ 환원이 잘 됨.

17 패러데이의 법칙

(1) 전기량

$$Q = it$$

여기서, Q : 통해준 전기량(쿨롬), i : 전류(ampere), t : 통해준 시간(sec)

① 제1법칙 : 같은 물질에 대하여 전기분해로써 전극에서 일어나는 물질의 (화학변화로 생긴) 양은 통한 전기량에 비례한다.

② 제2법칙 : 일정한 전기량에 의하여 일어나는 화학변화의 양은 그 물질의 화학당량에 비례한다.

(2) 전기량의 단위

전기량은 전류의 세기(ampere)에 전류가 통과한 시간을 곱한 값과 같다.
1A의 전류가 1초 동안 흐른 전기량을 1Q(쿨롬)이라 한다.
i(A)의 전류가 t초 동안 흐르는 전기량 Q는 다음과 같이 표시된다.

$$Q(쿨롬) = i(암페어) \times t(초)$$

5암페어의 전기량이 한 시간 동안 흐른 전기량은 다음과 같다.

$$Q = 5 \times 60 \times 60 = 18,000 C$$

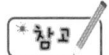 1패럿
각 극의 석출량 : 전자 1mol의 전하량 $= (1.6 \times 10^{-19} C/개) \times (6.02 \times 10^{23} 개/mol)$ } 1g당량 96,500쿨롬

농도, 온도, 물질의 종류에 관계없이 1패럿, 즉 96,500쿨롬의 전기량으로 1g당량의 원소가 석출된다.

18 할로젠원소

(1) 할로젠원소의 반응성

① 알칼리금속과 직접 반응하여 이온결합물질을 만든다.

$2Na(s) + Cl_2(g) \rightarrow 2NaCl(s)$

② 할로젠화수소의 결합력 세기

HF > HCl > HBr > HI

③ 할로젠화수소산의 산 세기 비교

할로젠화수소는 모두 강산이나 HF는 분자 간의 인력이 강하여 약산이다.

HF < HCl < HBr < HI

강산이란 수용액에서 H^+이 많이 생기는 산이다. 따라서 결합력이 약할수록 이온화가 잘 되어 강한 산이다.

(2) 각 원소의 성질

구분	F_2	Cl_2	Br_2	I_2
상태	담황색 기체	황록색 기체	적갈색 액체	흑자색 고체
수소와의 반응성	어두운 곳에서 폭발적으로 반응	빛의 존재하에서 폭발적으로 반응	촉매 존재하에서 반응	촉매와 열의 존재하에서 반응
할로젠화수소	HF(약산)	HCl(강산)	HBr(강산)	HI(강산)
산의 세기	약함 →→→→→→→→→→→→→→→→→→→→→→→→→→→→ 강함			
물과의 반응성	격렬히 반응	일부분 반응	일부분 반응	용해 어려움
결합력의 세기	강함 →→→→→→→→→→→→→→→→→→→→→→→→→→→→ 약함			
Na과의 화합물	NaF	NaCl	NaBr	NaI
반응성의 세기	강함 →→→→→→→→→→→→→→→→→→→→→→→→→→→→ 약함			
은과의 반응성	AgF 무색 수용성	AgCl 백색 침전	AgBr 연노란색 침전	AgI 노란색 침전

19 방사성 작용

방사선	본체	붕괴 후		방사선의 작용
		원자번호	질량수	
α선	$^4_2$He 원자핵	-2	-4	투과 작용, $\alpha < \beta < \gamma$
β선	e^-의 흐름	$+1$	변동 없음.	전리 작용(공기를 대전)
γ선	전자파	변동 없음.	변동 없음.	형광 작용(형광 물질의 형광)

20 작용기에 의한 유기화합물의 분류

화합물을 구성하는 원소나 이온 중에서 그 물질의 특성을 결정하는 원자단을 유기화합물에 있어서 치환기 또는 작용기라 하며, 이 작용기에 따라 유기화합물의 특성이나 명명법이 뚜렷이 구별된다.

〈 몇 가지 작용기와 화합물 〉

관능기	이름	관능기를 가지는 화합물의 일반식	일반명	화합물의 예
$-OH$	하이드록실기	$R-OH$	알코올	CH_3OH C_2H_5OH
$-O-$	에터 결합	$R-O-R'$	에터	CH_3OCH_3 $C_2H_5OC_2H_5$
$-C(=O)H$	포밀기	$R-C(=O)H$	알데하이드	$HCHO$ CH_3CHO
$-C(=O)-$	카보닐기 (케톤기)	$R-C(=O)-R'$	케톤	$CH_3COC_2H_5$
$-C(=O)O-H$	카복실기	$R-C(=O)O-H$	카복실산	$HCOOH$ CH_3COOH
$-C(=O)O-$	에스터 결합	$R-C(=O)O-R'$	에스터	$HCOOCH_3$ CH_3COOCH_3
$-NH_2$	아미노기	$R-NH_2$	아민	CH_3NH_2 $CH_3CH_2NH_2$

〈 주요 알킬기 〉

명칭	관능기의 구조(R-)
메틸(methyl)	CH_3-
에틸(ethyl)	CH_3CH_2-
$n-$프로필($n-$propyl)	$CH_3CH_2CH_2-$
아이소프로필(isopropyl)	$(CH_3)_2CH-$
$n-$뷰틸($n-$butyl)	$CH_3CH_2CH_2CH_2-$
$sec-$뷰틸($s-$butyl)	$CH_3CH_2CH(CH_3)-$
아이소뷰틸(isobutyl)	$(CH_3)_2CHCH_2-$
$tert-$뷰틸($t-$butyl)	$(CH_3)_3C-$
$n-$펜틸($n-$pentyl)	$CH_3CH_2CH_2CH_2CH_2-$

21 알코올류(R-OH)

(1) 알코올의 분류

분류 기준	종류	설명	보기
-OH가 있는 C에 붙어 있는 알킬기의 수	1차 알코올	알킬기가 1개	CH_3-CH_2-OH
	2차 알코올	알킬기가 2개	$H-\overset{\overset{CH_3}{\|}}{\underset{\underset{CH_3}{\|}}{C}}-OH$
	3차 알코올	알킬기가 3개	$CH_3-\overset{\overset{CH_3}{\|}}{\underset{\underset{CH_3}{\|}}{C}}-OH$
-OH의 수	1가 알코올	-OH가 1개	C_2H_5OH
	2가 알코올	-OH가 2개	$C_2H_4(OH)_2$
	3가 알코올	-OH가 3개	$C_3H_5(OH)_3$

(2) 알코올의 산화반응

① **1차 알코올의 산화**

1차 알코올을 1번 산화시키면 알데하이드, 다시 산화시키면 카복실산이 된다.

$$R-CH_2-OH \xrightarrow[-H_2]{산화} R-CHO \xrightarrow[+O]{산화} R-COOH$$
$$\text{1차 알코올} \qquad \text{알데하이드} \qquad \text{카복실산}$$

$$CH_3OH \xrightarrow[CuO]{-H_2} HCHO \xrightarrow[Pt]{+O} HCOOH$$
$$\text{메탄올} \qquad \text{폼알데하이드} \qquad \text{폼산}$$

$$C_2H_5OH \xrightarrow{-H_2} CH_3CHO \xrightarrow[Pt]{+O} CH_3COOH$$
$$\text{에탄올} \qquad \text{아세트알데하이드} \qquad \text{아세트산}$$

② **2차 알코올의 산화**

2차 알코올을 산화시키면 케톤이 된다.

$$R-\underset{\underset{R'}{\|}}{CH}-OH \xrightarrow[-H_2]{산화} R-\underset{\underset{R'}{\|}}{C}=O$$
$$\text{2차 알코올} \qquad \text{케톤}$$

$$CH_3-\underset{\underset{CH_3}{\|}}{CH}-OH \xrightarrow[-H_2]{산화} CH_3-\underset{\underset{CH_3}{\|}}{C}=O$$
$$\text{2-프로판올} \qquad \text{아세톤}$$

22 Le Chatelier의 원리

평형에 이른 계가 외부에서 교란을 받으면 그 교란을 없애려는 방향으로 반응하여 새로운 평형상태에 이른다.

(1) 농도변화
① 물질의 농도를 증가시키면, 증가된 물질의 농도를 감소시키는 방향으로 반응이 진행된다.
② 물질의 농도를 감소시키면, 감소된 물질의 농도를 증가시키는 방향으로 반응이 진행된다.

(2) 온도변화
① 온도를 높이면, 온도를 낮추는 방향인 흡열반응으로 평형이 이동한다.
② 온도를 낮추면, 온도를 높이는 방향인 발열반응으로 평형이 이동한다.

(3) 압력 및 부피 변화
① 압력을 높이면, 압력이 낮아지는 방향으로 평형이 이동하므로 기체의 몰수가 감소하는 방향으로 평형이 이동한다.
② 압력을 낮추면, 압력이 높아지는 방향으로 평형이 이동하므로 기체의 몰수가 증가하는 방향으로 평형이 이동한다.

(4) 촉매의 영향
화학평형에서는 정반응과 역반응의 속도는 같다. 여기에 촉매를 가하면 정반응의 속도가 증가하며, 그것과 비례하여 역반응의 속도 또한 증가한다. 따라서 평형상태는 변화가 없다. 촉매는 화학반응의 속도를 증가시키는 작용을 하지만, 화학평형을 이동시킬 수는 없다.

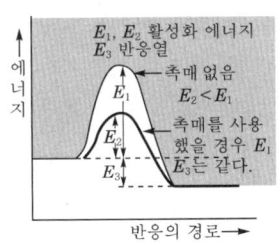
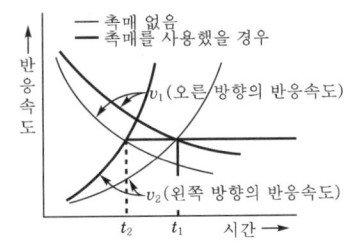